BILBO

Collection dirigée par
Stéphanie Durand

De la même auteure chez Québec Amérique

Jeunesse

SÉRIE LES TROIS JOJO
Super Équipe, coll. Bilbo, 2013.
Top Secret, coll. Bilbo, 2012.

SÉRIE SOLO
Solo chez madame Lili Monlivre, coll. Mini-Bilbo, 2012.
Solo chez Monsieur Magika, coll. Mini-Bilbo, 2010.
Solo chez Mama Marmita, coll. Mini-Bilbo, 2008.
Solo chez Pépé Potiron, coll. Mini-Bilbo, 2006.
Solo chez grand-maman Pompon, coll. Mini-Bilbo, 2005.
Solo chez monsieur Thanatos, coll. Mini-Bilbo, 2004.
Solo chez madame Deux-Temps, coll. Mini-Bilbo, 2003.
Solo chez monsieur Copeau, coll. Mini-Bilbo, 2002.
Solo chez madame Broussaille, coll. Mini-Bilbo, 2001.

SÉRIE DAGMAËLLE
La Pierre invisible, coll. Bilbo, 2010.
L'Île de l'Oubli, coll. Bilbo, 2007.
Les Compagnons des Hautes-Collines, coll. Bilbo, 2006.

SÉRIE ABEL ET LÉO
Le Monstre de la forteresse, coll. Bilbo, 2005.
Le Trésor de la cité des sables, coll. Bilbo, 2004.
Un Tigron en mission, coll. Bilbo, 2003.
Sur la piste de l'étoile, coll. Bilbo, 2002.
Léo Coup-de-vent!, coll. Bilbo, 2001.
Bout de comète!, coll. Bilbo, 2000.

VACANCES MONSTRES

Projet dirigé par Stéphanie Durand, éditrice

Révision linguistique : Chantale Landry
Conception graphique et mise en pages : Sara Tétreault
Illustrations : Paul Roux

Québec Amérique
329, rue de la Commune Ouest, 3ᵉ étage
Montréal (Québec) Canada H2Y 2E1
Téléphone : 514 499-3000, télécopieur : 514 499-3010

Nous reconnaissons l'aide financière du gouvernement du Canada par
l'entremise du Fonds du livre du Canada pour nos activités d'édition.

Nous remercions le Conseil des arts du Canada de son soutien. L'an
dernier, le Conseil a investi 157 millions de dollars pour mettre de l'art
dans la vie des Canadiennes et des Canadiens de tout le pays.

Nous tenons également à remercier la SODEC pour son appui financier.
Gouvernement du Québec – Programme de crédit d'impôt pour l'édition
de livres – Gestion SODEC.

Conseil des Arts   Canada Council   SODEC
du Canada   for the Arts   Québec

**Catalogage avant publication de Bibliothèque et Archives nationales
du Québec et Bibliothèque et Archives Canada**

Bergeron, Lucie
Les trois Jojo
(Bilbo ; 207)
Sommaire : 3. Vacances monstres.
ISBN 978-2-7644-2571-8 (Version imprimée)
ISBN 978-2-7644-1255-8 (PDF)
ISBN 978-2-7644-1256-5 (ePub)
I. Roux, Paul. II. Titre. III. Titre : Vacances monstres. IV. Collection :
Bilbo jeunesse ; 207.
PS8553.E678T76 2012   jC843'.54   C2011-942214-X
PS9553.E678T76 2012

Dépôt légal : 1ᵉʳ trimestre 2014
Bibliothèque nationale du Québec
Bibliothèque nationale du Canada

Imprimé au Québec

LUCIE BERGERON

VACANCES MONSTRES

ILLUSTRATIONS DE PAUL ROUX

Québec Amérique

À mon petit-fils Albert,
qui m'enchante
par ses pourquoi.

CHAPITRE 1

Il pleut. De grosses gouttes tambourinent sur les toits. Les branches des arbres fouettent l'air. Il vente si fort. Les habitants du village n'osent pas mettre le nez dehors. Pourtant, une maison ne semble pas inquiétée par le mauvais temps. Des voix s'élèvent sous la galerie des trois Jojo. Pas étonnant! Chez les Lachance, une tempête de pluie n'arrête personne. Les garçons de la famille sont déjà à eux trois une véritable tornade. Ensemble, ils pourraient faire virer le vent de bord tellement ils dégagent de l'énergie.

Une formidable bourrasque fait grincer les volets de la maison. Sous la galerie des Lachance, le ton monte. Joseph, Jonas et Joris se disputent. Le petit Joris tape du pied sur le sol. Il n'a pas seulement hérité du surnom familial de Jojo, mais aussi du même caractère déterminé que ses frères aînés. Il s'écrie :

— C'est vrai, Jonas ! J'ai vu un dinosaure !

— Bébé Jojo ! Arrête de raconter des histoires ! Les dinosaures sont...

— DISPARUS ! beugle Joseph. Vas-tu finir par nous croire ?

— Pourquoi ? demande le jeune Joris, pas convaincu.

— Parce que… parce que…

— Parce que c'est comme ça! résume Jonas. Des savants disent que c'est à cause de la météo qu'ils ont disparu ou…

— La météo? Pourquoi?

— D'un seul coup, l'hiver est arrivé. Il faisait froid à se geler les dents!

— Oh! Pourquoi?

Le cadet soupire.

— Parce que c'est comme ça! D'autres affirment qu'une grosse roche est tombée sur la Terre. **BANG**!

— Grosse comment, la roche?

Jonas jette un coup d'œil à Joseph, qui se gratte la tête sous sa casquette de capitaine. C'est à son tour de répondre. Quand

Jojo commence la ronde des *pourquoi*, un seul grand frère ne suffit pas.

— Une pierre plus grosse que la maison, je dirais.

Le petit fait les yeux ronds. Il tapote son casque de vélo.

— Moi, j'ai mon casque. Ça ne peut pas faire mal, s'il y a une autre roche qui tombe.

— Pas sûr! souffle Jonas. Si une météorite, grosse comme la maison, tombait sur ta tête, tu serais aplati comme une galette.

D'un coup sec, le benjamin frappe son poing dans sa paume. PAF!

— **Pouiiittt!** renchérit Joseph. Écrapouti! F-i fi, n-i ni! Plus de Jojo!

— Mamaaaannnn! hurle Jojo, qui se voit déjà transformé en pâté pour chats.

— Chut! le réprimandent ses deux grands frères. Tu le sais bien que maman ne veut pas être dérangée.

— Papa non plus! admet Jojo, déjà revenu de sa frayeur.

L'évocation de papa et de maman laisse les trois frères

pensifs. Il faut préciser qu'ils ne sont pas dans les bonnes grâces de leurs parents. Depuis le matin, la famille est dans le branle-bas du départ. Les Lachance quittent le village pour les vacances. Papa et maman ont des tas de choses à préparer. Les trois Jojo, eux, voudraient partir **tout de suite!**

Dès le lever, l'impatience était au rendez-vous. Les garçons ne tenaient pas en place. À l'unisson, ils chantaient «Quand est-ce qu'on part?» sur tous les tons. La dernière fois, papa était au sous-sol. Il cherchait comment fermer le chauffe-eau. Joseph et Jonas ont surgi dans son dos.

— **QUAND EST-CE QU'ON PART?**

Papa a sursauté, poussé le mauvais bouton, il y a eu un **pow!** et toutes les lumières de la maison se sont éteintes.

À bout de patience, papa a rugi :

— LA PAIX, les Jojo! Allez jouer **dehors! Tous les trois!**

Joseph a pris la poudre d'escampette. Jonas a filé derrière lui. Son casque d'explorateur bondissait sur sa tête tellement

il allait vite. Joris les a rattrapés au vol alors qu'ils arrivaient en haut de l'escalier. La panne avait interrompu *Les Dodos durs d'oreille*, sa nouvelle émission de télé éducative. Les garçons se sont précipités vers la porte. Maman les attendait près de la sortie. Pressée de finir les bagages, elle a confié à son plus grand un énorme sac de biscuits aux bananes et chocolat. Elle lui a même ordonné:

— Va et mange!

Joseph a obéi sans hésiter. Il est sorti, suivi par ses frères. Ils se sont réfugiés sous la galerie d'en avant. C'était le meilleur abri, car il pleut à boire debout depuis des heures. Casquette et casques dégoulinants d'eau, les trois Jojo se sont penchés au-dessus du sac de biscuits.

Joseph était heureux de partager son butin. La famille part au lac et l'aîné compte bien s'amuser pendant les courtes vacances. Pour réussir, il faut que Jonas et le petit Jojo soient de bonne humeur. C'est donc en croquant des biscuits à la banane comme des loups affamés que les Lachance se sont réunis et que le bébé de la famille a appris à ses deux frères qu'il avait vu un dinosaure.

D'ailleurs, Jojo ne veut pas lâcher le morceau. Boudeur, il se croise les bras.

— C'est même pas vrai! Les dinosaures n'ont pas disparu. J'en ai vu un qui bougeait!

— IMPOSSIBLE! crient ses deux frères dans chacune de ses oreilles.

Le petit Joris ne se laisse pas démonter. Il insiste :

— Maman dit toujours que la crème glacée disparaît. Puis il y a une nouvelle boîte dans le frigo. Pour les dinosaures, c'est pareil !

— PAS RAPPORT, JOJO !

— Demandez à monsieur Tétreault ! Lui, il va vous le dire.

Monsieur Roméo Tétreault… le sixième voisin. L'homme qui leur a fait perdre le trophée du plus beau tacot à la fête du village. Le jury, dont il faisait partie, a préféré le remettre à trois fillettes en rose qui avaient construit une petite voiture toute de rose vêtue.

Pffff! Une auto de filles, même pas rapide!

— Monsieur Tétreault fabrique des os de dinosaure pour faire semblant, réplique Jonas. C'est pour le musée.

— Ce n'est pas un paquet d'os en plastique qui va faire revivre ces grosses bêtes-là. Tu inventes encore, Jojo! s'emporte l'aîné.

Bousculés par leurs émotions, les trois frères plongent la main dans le sac. Ils engouffrent un septième biscuit. En mastiquant, le plus jeune explique:

— Fffai fffu fffa fffête dans l'fffarage.

— Quoi?

— FFFAI FFFU FFFA FFFÊTE! répète Jojo.

— **Ouache!** fait Joseph en s'essuyant le visage. Tu craches des miettes partout.

— Tu l'as vu dans le garage du voisin?

En grand admirateur des choses de la nature, Jonas est resté aux aguets. Le cadet, qui rêve de parcourir les jungles profondes, commence à prendre son petit frère au sérieux. Enfin! semble se dire Joris. On va m'écouter. Du haut de ses quatre ans, Jojo se redresse, puis raconte:

— Maman me tirait par la main. Je voulais ramasser un caillou bleu chez monsieur Tétreault. Maman ne voulait pas, moi, je vou…

— Aboutis! crie Joseph, intrigué malgré lui.

— La porte du garage était un peu ouverte. Le dinosaure regardait dehors. Il sortait la tête.

— C'était quoi? Un diplodocus, un tricératops, un vélociraptor?

— Ben… Un dinosaure, Jonas!

Le jeune explorateur pousse un soupir. Les dinosaures ne sont pas tous pareils. Tout le monde sait ça.

— Il était en quoi? demande Joseph. En papier mâché?

— Non, non, en vrai! Il a bougé la tête vers la cour. Il s'est tourné, m'a regardé… Et **Fiouou!** Il est rentré. Vite, vite!

— Qu'est-ce que maman a dit?

— Rien! Elle l'a pas vu, elle m'a pas cru!

Les grands hésitent encore. Le petit sautille d'impatience. Il voudrait tellement que ses frères lui fassent confiance. Soudain, un dernier détail lui revient.

— Le dinosaure a ouvert la gueule! Grand comme ça! fait Jojo en ouvrant sa bouche remplie de salive brun chocolat.

— Est-ce qu'il avait des dents?

— Longues comme ça, Jonas!

Sûr de lui, Jojo écarte au maximum pouces et index des deux mains.

Les aînés échangent un regard. Les informations se transmettent d'une pupille à l'autre. L'analyse de la situation s'effectue par froncements de sourcils et plissements d'yeux. D'un côté, le petit Joris est reconnu pour avoir beaucoup d'imagination. Mais d'un autre côté... Tout cela semble vrai. Vrai de vrai! Sans mot dire, tout est pesé. C'est décidé! Une vérification chez le voisin s'impose. Et pour réussir cette équipée, il faut réunir l'équipe de choc.

— Jojo, es-tu capable de garder un secret? s'enquiert Joseph d'un air mystérieux.

— Pourquoi?

— Parce que si on décide de croire à ton histoire de dinosaure...

— Il faut tous aller chez le voisin pour tirer ça au clair, poursuit Jonas.

— En cachette, bien sûr!

Joris réfléchit, tout en grignotant son huitième biscuit. Après un claquement de langue, il demande :

— Un secret juste entre nous trois ?

Les grands frères font signe que oui. Le plus jeune s'essuie la bouche du revers de la main, puis ajoute :

— On fait le serment, alors ?

Joseph et Jonas sont stupéfaits : Jojo a tout compris d'un seul coup ! Déjà, leur frère relève sa main pour prêter serment. Les aînés se réjouissent de sa rapidité d'esprit. Ce petit n'a l'air de rien, mais il a de qui tenir. Les garçons savent bien que, ce qui est fantastique dans une famille, c'est que les enfants sont toujours plus intelligents que leurs parents. Alors, les frères Lachance sont convaincus qu'à eux trois ils forment un trio de génie.

Les trois Jojo s'assoient par terre. Sous la galerie d'en avant, Joseph doit se tenir la tête penchée quand il est debout. Dos au mur, l'aîné indique à ses frères de s'installer devant lui. Il aime bien diriger les opérations. Il tend sa main gauche vers la rue. Jonas met sa main sur la sienne, puis Jojo l'imite. Tous les trois lèvent celle de droite pour prêter serment.

Grave, Joseph déclare :

— Je jure sur ma vie...

— Et sur les biscuits !

— Jonas ! Tu me coupes la parole ! C'est moi qui dis le serment. Comme d'habitude !

— Pourquoi ? demande Jojo.

Les dents serrées, Joseph essaie de garder son calme. Pour lui, le serment est un moment important. Jonas ne se gêne pas pour l'interrompre, car il trouve que son aîné se prend un peu trop pour le chef.

— Pourquoi, pourquoi? Parce que je l'ai décidé, bon!

— Pourquoi tu l'as décidé? insiste Jojo.

— Parce que je le veux, **un point c'est tout!**

— Pourquoi, un poing? Hé, le grand! Veux-tu te battre? Moi aussi, je peux t'en donner des coups de poing!

— GRRRRR! Tu m'énerves, Jojo! gronde Joseph. Tu ne comprends RIEN!

Joseph grimace, hors de lui. Les chimpanzés font pareil quand on leur chipe leurs bananes. Les yeux brillants sous son casque d'explorateur, Jonas rigole. Il est tellement facile de faire fâcher son aîné. Décidément, Jojo est un allié de première classe, quand il s'agit d'exaspérer leur grand frère.

Comme il aura bientôt dix ans, Joseph a tout de même acquis un peu de maturité. Il prend une grande respiration pour se calmer. Le résultat est fulgurant! Avec plus d'autorité que jamais, Joseph impose sa volonté.

— À l'attention, tout le monde! On se met en position!

Dans un réflexe, Jonas et Joris se redressent.

— Main droite en l'air! Droite!

Obéissants, les plus jeunes s'exécutent. Satisfait, Joseph récite la formule du pacte :

— Je jure sur ma vie... et pour l'éternité...

— Et pour l'éternité, répètent Jonas et Jojo, maintenant recueillis.

— Je jure solennellement, dit Joseph dans un souffle, de respecter les règles. Je ne dirai rien ni à papa ni à maman ni aux deux que nous voulons quitter la maison sans leur permission. Je ne parlerai ni à papa ni à maman ni aux deux que nous allons découvrir ce que le voisin nous cache. Je ne dévoilerai ni à papa ni à maman ni aux deux que nous croyons au retour des dinosaures sur la Terre et que nous irons à la télé pour en parler.

— La télé? s'étonnent ses deux frères.

Joseph leur explique qu'ils sont maintenant célèbres puisqu'on a parlé d'eux dans les journaux. L'hebdo de la région a fait paraître leur photo, à la suite de leur victoire à la course de tacots de la grande fête du village. On voyait les trois Jojo triomphants, leur coupe à la main. Depuis ce temps, leur photo trône sur la porte du frigo, honneur suprême dans la maison des Lachance.

— Maintenant, il faut viser plus haut, ajoute Joseph. Et la télé, c'est ce qu'il y a de mieux!

Jonas approuve. Jojo bondit sur ses pieds en criant des **Hourra!**

— Assis, Ti-Jo! On n'a pas fini.

Sérieux, l'aîné enchaîne :

— Si vous acceptez les règles du pacte, crachez derrière...

Deux formidables raclements de gorge l'interrompent. Puis Joseph s'exclame :

— Mais laissez-moi finir ! Je voulais dire DERRIÈRE VOTRE DOS. Vous m'avez craché dessus, les gars !

— Ben là, parle plus vite ou sois plus précis, proteste Jonas. Quand maman nous envoie jouer dans la cour, elle dit toujours d'aller derrière. Alors, pour moi, derrière, c'est devant moi. Vers la cour ! Pas ma faute si tu es devant, Joseph.

Jojo, lui, ne trouve pas de mot d'excuse. Tous ces *devant* et *derrière* l'ont complètement étourdi.

L'aîné bougonne, mais il a trop hâte de passer à l'action pour s'éterniser là-dessus. Il propose donc :

— Allons vite chez monsieur Tétreault !

— Maman et papa ne veulent pas, réplique Jojo. Il faut toujours demander la permission.

— Tu as prêté serment, Ti-Jo ! Et le serment précise qu'on va y aller sans leur dire. Mais si tu es trop bébé lala, tu peux rester ici, avance Joseph.

— Bébé lala toi-même !

— Grosse nouille !

— Celui qui le dit, celui qui l'est !

— Minute, là ! jette Jonas. Si vous criez trop fort, papa et maman vont sortir. Et adieu, la visite aux dinosaures !

Joseph et Joris grognent un peu. Ils détestent quand Jonas a raison. Le cadet sort un coffret de son sac en bandoulière.

— Tu vois ça, Jojo? Ce sont mes boussoles lumineuses. Avec elles, papa et maman ne pourront pas s'inquiéter. Parce qu'une boussole, ça indique toujours la direction. On ne peut pas se perdre. Tu comprends?

— Mais on sait c'est où, chez le voisin! C'est à quat… six maisons d'ici.

— Oui, mais… avec mes boussoles lumineuses, on est encore plus sûrs.

— Ah! toi, et tes boussoles! raille Joseph. Depuis que tu les as gagnées à la fête du village, tu veux toujours t'en servir. Même pour aller à la toilette!

— Jaloux! Tu dis ça parce que ton prix à toi est déjà cassé. À la poubelle, ton voilier transformable! Moi, je fais attention à mes affaires, patate!

— Vieux cornichon!

— Bette bouillie!

Il est malheureux de constater que la pluie a souvent des effets dévastateurs sur le caractère des gens. En cette journée grise, les trois Jojo ont la mèche courte : un rien les fait se chamailler. Les deux aînés se tiraillent, se poussent, se roulent dans la poussière. C'est à qui aura raison.

Ennuyé, Joris se lève et part en direction du trottoir. Arrivé en bordure de la rue, il se penche pour observer quelque chose. D'un geste délicat, il plonge sa main vers une flaque d'eau, puis repart vers la pelouse pour y déposer sa trouvaille. Il n'en faut pas plus pour que ses grands frères partent le retrouver, la curiosité étant leur plus grande qualité. Ils s'approchent de Jojo, qui poursuit son observation au bord du trottoir. Intrigués, Joseph et Jonas s'accroupissent à leur tour. Leurs visages soucieux se reflètent dans la flaque d'eau. Passionné par la vie marine, Joseph murmure :

— As-tu trouvé un coquillage ?

Silencieux, Jojo fait signe que non.

— Un escargot avec des pattes de grenouille ? demande Jonas, rempli d'espoir.

Depuis toujours, le cadet espère découvrir une nouvelle espèce animale. Mais ce sera pour la prochaine fois, car son jeune frère lui répond :

— Non, un ver de terre. Il allait se noyer.

Les deux aînés tapotent l'épaule du dernier de la famille. Les gouttes de pluie rebondissent sur leurs mains boueuses. Joseph et Jonas sont fiers de leur Jojo. Le petit garçon se prépare déjà à être un grand sauveteur. Comme papa Jonathan! Adolescent, leur père gagnait son argent de poche comme sauveteur dans une piscine. Les trois garçons ont donc appris à nager dès le berceau.

Jojo observe :

— Un ver, c'est bizarre. Ça n'a pas d'oreilles ni d'orteils... Pas de front ni de bedon...

Joseph et Jonas lèvent les yeux au ciel. Voilà que Joris est reparti avec ses rimes d'émission de télé pour bébés.

— Pas de dents ni d'en... **Hé!** s'écrie Jojo, qui se relève droit comme un piquet.

Surpris, les deux plus vieux tombent à la renverse.

— Est-ce qu'il y avait des vers de terre dans le temps des dinosaures?

Cette question a pour effet de fouetter l'ardeur des aînés. Ils bondissent comme des ressorts, leurs sandales couinant sous la pluie. Il était temps! Un peu plus, et ils oubliaient leur objectif. Il ne fait aucun doute que les trois Jojo se passionnent pour les dinosaures. Mais aller cogner à la porte de monsieur Tétreault demande beaucoup de volonté. Pas parce qu'il est désagréable. Pas non plus parce qu'il est injuste et mauvais joueur ou parce qu'il déteste les chiens, peut-être même les enfants. C'est surtout que monsieur Tétreault pue. Joseph affirme que c'est le dessous de ses bras qui empeste ainsi, tandis que Jojo, qui est plus petit, persiste à dire que ce sont ses pieds. Jonas, lui, croit que le voisin se parfume à l'urine de gorille.

Il est donc normal que les trois Jojo aient eu un moment de faiblesse. Mais depuis que leur curiosité a repris ses droits, ils montent à l'attaque.

— En avant, mes frères! clame Joseph. Allons voir ce dinosaure chez Tétreault!

— À nous, la découverte du siècle! appuie Jonas.

— Vite! presse Jojo. J'ai hâte de me voir à la télé!

Sans aucun souci de la pluie qui s'abat sur eux, les trois Jojo se dirigent vers la maison du sixième voisin. À peine ont-ils fait cinq pas qu'une voix ferme les interpelle:

— On part pour le lac, les garçons ! Dans l'auto, tout de suite !

Joseph s'écrie :

— Tout de suite ?

— Quand est-ce qu'on revient ? enchaîne Jonas. Hein, papa ?

— On se dépêche !

Déçus, les trois frères reculent lentement vers l'entrée. Ils étaient pourtant décidés à traquer le dinosaure. Arrivés au pied de la galerie, ils sont reçus par une lamentation digne d'une poule apercevant son poussin jaune dans le fumier de vache. Maman vient d'apercevoir ses trois fils. Trempés jusqu'aux os et sales comme des cochonnets. Si elle était plus souple, maman

tomberait à genoux tellement elle est découragée.

Dans un moment pareil, la seule défense est un charme irrésistible. Sinon, la punition est inévitable. Joseph et Jonas savent parfaitement qui détient ce charme dans la famille. C'est

le seul à qui on pardonne tout!
Sans se gêner, ils poussent Jojo
devant eux en chuchotant :

— Sors-nous de là ! Prouve-nous
qu'on a raison de jouer avec toi !

Le petit dernier se tortille un
peu, avant de déclarer :

— On t'a gardé un biscuit. Es-tu contente, maman?

Joignant le geste à la parole, Jojo plonge la main dans sa poche de pantalon. Il en ressort un demi-biscuit, qui, déjà, se ramollit sous la pluie. Devant le grand sourire de son bébé, maman éclate de rire, puis ouvre les bras. Jojo s'y précipite, ses deux frères le suivant de près. Il ne faut pas rater une occasion pareille de se faire pardonner.

CHAPITRE 2

Le trajet en voiture jusqu'au lac se passe sans anicroche. Tout le monde est content. Les trois Jojo sont au chaud dans leurs vêtements secs. Papa et maman racontent des souvenirs de jeunesse, alors qu'ils allaient se baigner au lac. Cette fois, ils ont reçu une invitation spéciale pour leurs vacances. Léo Laforêt leur prête sa maison sur la colline. À peine quelques roulades séparent le logis de la grande mare. Les garçons n'auront qu'à dévaler la pente pour aller patauger.

Monsieur Laforêt est ce grand voyageur qui a pour compagnon Mammouth, l'énorme chien. Maintenant, les fils Lachance les connaissent bien tous les deux. Mammouth leur a même déjà rendu un grand service pour la course de tacots. Et comme le chien revenait toujours à la maison pour fouiller dans les poubelles, papa a fait la connaissance de Léo. C'est ainsi que les deux voisins se sont mis à parler de randonnées de pêche et de baignade au lac.

Après avoir joué à «compte-les-autos-bleues-que-papa-dépasse», la famille Lachance arrive enfin à la maison du Lac-à-l'eau. La pluie a cessé. On contourne la grange, puis on s'arrête dans l'allée qui longe la vieille demeure dont le bois a grisonné avec les ans. Du haut de la colline, les garçons aperçoivent la grande mare. Le soleil couchant rougeoie sur l'eau calme.

Les **Clic-Clac** des ceintures retentissent et les trois frères bondissent hors de l'auto sur le terrain détrempé.

— Ne vous éloignez pas ! marmonne papa en se dirigeant vers le coffre.

— Attendez-nous ! ajoute maman, qui ramasse ce qui traîne autour des sièges.

Chers parents ! Comment peuvent-ils être encore aussi naïfs ? Comment peuvent-ils penser que deux avertissements suffisent ? Ils ont à peine le temps de prendre deux grosses valises et trois sacs à dos garnis de superhéros que les cris fusent.

— **MAMAAAAN!**

— **Papaaaaaaa!**

— **C'est pas ma FAUTE! JURÉ!**

Les parents laissent tout tomber. Mais comment répondre à trois appels quand on n'est que deux? Ainsi, papa et maman commencent par se frapper l'un contre l'autre, ne sachant pas dans quelle direction aller. La main sur le front, maman pare au plus pressé : elle court vers Jojo, qui a de l'eau jusqu'aux genoux. Saignant du nez, papa se précipite vers Jonas, qui a grimpé dans un arbre. Son pantalon est resté accroché à une branche. Joseph, lui, est sur le perron de la maison. Il n'ose pas bouger. D'un rapide coup d'œil, ses parents décident qu'il

49

peut attendre. Les bêtises passent toujours après les urgences.

— Vite, maman, vite! crie Jojo.

Affolée, maman descend vers le lac.

— JOJO! Mon canard! T'es-tu fait mal? Qu'est-ce qu...

— J'ai vu un poisson, maman! Un beau p'tit poisson!

Pour une fois, la maman de Joris n'a pas envie de s'émerveiller. Elle a eu si peur! Son cœur bat si fort. Rouge comme un homard, elle attrape la main de son fils et le ramène jusqu'à l'auto. Jojo a beau protester, elle n'écoute pas. Son pantalon mouillé dégouline, elle ne s'en soucie pas. Du coffre, elle sort un gilet de sauvetage orangé. Elle le boucle en trois clics sur son précieux petit dernier.

— Mais je nage, maman! certifie Jojo. Papa m'a appris.

— Je le sais. Tu vas quand même garder ce gilet toutes les vacances. Je ne veux pas m'inquiéter. Compris?

Joris devient bougon. Il veut comprendre pourquoi, à quatre ans, il a besoin d'un casque de vélo et d'un gilet de sauvetage. Il en a assez de passer pour le bébé de la famille. Il commence à dire:

— Pourqu...

Sauf que l'enfant s'arrête. Il vient de voir Jonas qui, derrière papa, lui fait non de la tête. En plus, son frère pose son index sur ses lèvres comme pour faire chut!

— Écoutez votre mère! dit papa de sa grosse voix. Calmez-vous un peu! Toi, Jonas, plus d'escalade de pommier. Compris? Nous avons droit aussi à des vacances.

Maman, qui a retrouvé son teint de pêche, se tourne vers Joseph. L'aîné essaie de se faire tout petit sur le perron, mais c'est plutôt difficile de passer inaperçu quand on tient à bout de bras une porte-moustiquaire.

— Et toi, lance sa mère, explique-nous ce qui s'est passé.

Joseph hausse les épaules.

— J'ai tourné la poignée, c'est tout. Je n'ai même pas tiré de toutes mes forces. C'est vrai! Juste un petit peu fort… et la porte m'est tombée dessus.

Papa libère son fils de son fardeau. Il le rassure:

— Nous regarderons ça demain. Il commence à se faire tard.

Puis il sort la clé de la maison grise en disant :

— Je t'ouvre, ma chérie. Passe devant ! Tu l'as bien mérité.

Des provisions plein les bras, maman franchit le seuil. Le soleil jette un dernier rayon flamboyant par la porte. Tout à coup, une masse sombre surgit du fond de la pièce. C'est un animal ! L'énorme bête brune gronde ! **GRRRR !** Puis elle fonce vers la sortie.

— **ATTENTION !** hurle Jonas. Il y a un **OURS !!!**

Tous courent en bas du perron… sauf maman.

— **HORTENSIAAA !** crie papa.

— **Aaaaaaaaaaah!** hurlent les garçons.

La bête gigantesque bondit vers maman. L'animal retombe, les deux pattes sur ses épaules. Maman tombe à la renverse. Les sacs se déchirent. Allongée sur le plancher, elle est attaquée par de grands coups de langue baveuse. WOUAF! WOUAF! D'une main molle, la pauvre femme essaie d'éloigner la grosse tête brune de son visage.

— Mammouth, lâche-moi! **Yeurk!** Dégoûtant!

— Ouste! ordonne papa en poussant la bête. Ça va, ma chérie?... Hé!! Toi! Touche pas aux provisions!

Sans gêne, l'animal croque une pomme tombée sur le plancher

avant de se tourner, d'un air bonhomme, vers les enfants.

— C'est le chien de Léo! crient les trois garçons qui accourent.

— Youpi! As-tu vu ça, maman? demande Joris, penché au-dessus de sa mère. C'est Mammouth! Pas un ours, oh! non! L'avais-tu reconnu?

Maman grimace. Elle n'arrive pas à se relever.

— Oui, mon garçon. Je l'avais re… **AYOYE! MON DOS!**

Papa se précipite pour aider sa femme à s'asseoir sur le canapé. Pliée en deux, maman se déplace à petits pas. Papa grommelle:

— Mais qu'est-ce que ce chien fait ici? Il a failli nous faire tous mourir de peur.

— **Aïe !** Ça fait **MAL !**

— Tiens, prends ces coussins. Doucement, ma belle Hortensia.

Les fils Lachance gardent un silence respectueux. Il est rare que papa utilise le prénom de maman. Cela n'arrive que dans les moments très graves. Papa préfère l'appeler *chérie*. Car maman trouve qu'*Hortensia* ne fait pas très à la mode. Évidemment! pensent les trois Jojo. C'est ainsi que se prénommait son arrière-grand-mère. C'est vieux, ça! Peut-être même qu'il y avait des dinosaures dans ce temps-là.

— Mammouth! Touche pas aux gâteaux de papa! souffle Jonas, qui observe tout.

Serviables, Jonas et Joris ramassent les provisions. Tout est éparpillé sur le plancher. C'est une course contre la montre avec un Mammouth gourmand à leurs trousses. C'est à qui mangera les gaufrettes à la vanille le premier. Seul, Joseph reste debout sans rien faire. À bien regarder, on peut se rendre compte qu'il y a quelque chose qui ne tourne pas rond. L'aîné a son air coupable, l'air gêné des très grosses bêtises. Pourtant, dans la dernière heure, la porte-moustiquaire qu'il a arrachée aurait dû suffire.

Inquiet pour sa chérie, papa maugrée :

— À quoi a-t-il pensé, que diable ? Laisser son chien sans prévenir... nous prendre par surprise... Il va savoir ma façon de penser, cet étourdi de Léo Laforêt !

— Hum, hum ! fait Joseph pour attirer l'attention.

L'aîné tend un petit papier jaune détrempé à son père. Embarrassé, il bredouille :

— Il y avait... euh... ce bout de... bout de papier... sur la porte… euh… la porte d'entrée. La porte qui est tombée.

Préoccupé, papa déchiffre lentement le message. L'écriture tout en vagues fait penser à des montagnes russes. Il lit :

— *Na… maskar !*

— Quoi ? réplique maman, souffrante.

— Je ne comprends pas plus que toi, chérie. On dirait que c'est un message de Léo. Et tu sais qu'il parle plusieurs langues.

— Qu'est-ce qu'il dit ? demande Jonas, qui partage une poire abîmée avec le gros chien à tête d'ours.

Papa poursuit :

— *Je vous laisse Mammouth. Vous vous sentirez plus en sécurité avec lui. C'est le fin fond*

*des bois ici, mes amis! Bonnes
vacances! À bientôt, Léo.*

Papa et maman soupirent.
Léo Laforêt avait bel et bien
prévenu les Lachance de la pré-
sence du chien dans la maison.
Si la porte était restée en place,
peut-être que…

— Je suis désolé, murmure
Joseph, la tête basse.

Ses bras autour du cou de
Mammouth, Jojo lance :

— Pas grave, hein, maman?
Toi aussi, tu aimes les surprises!
Et Mammouth, c'en est une
grosse!

Maman ne peut résister : elle
pouffe de rire.

— Ha! Ha! Haaa… **AYOYE!**
Mon **DOS!**

— Ne bouge pas, ma chérie! suggère papa. Les garçons et moi, on s'occupe de tout… En avant, mes Jojo! Allons voir les chambres!

À la course, les trois garçons grimpent le grand escalier qui conduit à l'étage. Papa les suit avec les valises. Mammouth, lui, monte la garde à côté de maman. Depuis que cette jolie dame lui a donné une boîte entière de sucettes glacées, le chien n'a d'yeux que pour elle. L'énorme chien gourmand n'est pas près d'oublier ce jour de la course de tacots où maman a été si généreuse.

CHAPITRE 3

Couchés en rang d'oignons dans leurs petits lits étroits, les frères Lachance écoutent les bruits de la maison grise. Au loin, le tonnerre gronde. L'orage s'éloigne doucement. Il fait **TRÈS** noir. Pas seulement parce que la maison se trouve au fond des bois, non plus parce que le ciel est couvert, mais surtout parce qu'il n'y a pas de veilleuse dans le couloir. Oh! Léo Laforêt en avait bien laissé une pour les enfants, mais, depuis le bruyant orage, il y a une panne d'électricité. Une autre panne! Papa a failli débouler l'escalier quand il s'est pris les pieds dans la collection de bateaux en plastique de Joseph. Il s'est retenu juste à temps à la rampe. Puis il a dévalé les marches pour aller prendre soin de maman.

Maintenant, papa et maman se reposent. Seul le tic-tac de l'horloge coucou rompt le silence au grenier.

— Mammouth ! chuchote Jonas. Descends de mon lit !

— C'est pas le chien, fait une petite voix. C'est moi, j'ai peur !

Jonas se redresse sur ses coudes.

— JOJO ? C'est toi ?

— Oui, c'est lui ! Parce que Mammouth est dans MON lit ! déclare Joseph, agacé. Et il pète !

Les garçons rient un bon coup. Collés les uns contre les autres, les lits tremblent de bonne humeur.

— **WOUAAA!** bâille le chien, qui s'étire de tout son long.

— Pousse-toi, le gros! Hé! C'est ma place!

— Jojo, retourne dans ton lit! réplique Jonas. C'est là, ta place.

— Mais j'ai **TROP** peur! Il fait **TROP** noir!

Au même moment, une lueur éclaire la fenêtre du grenier.

— **Un éclair!** crie Jojo, qui saute sur le lit de Joseph.

— **HÉ!** Attention!

Sans rien demander, le petit se cache sous les couvertures.

— Jojo, tu pues le chien! proteste l'aîné.

— Toi aussi!

La discussion s'arrête net, car une autre lueur balaie la fenêtre.

— Ooooh! Encore un éclair! gémit Joris.

— Tu l'as vu? Ben non! Tu te caches, peureux!

— Peureux toi-même, Joseph... Je regarde un p'tit peu, juste un p'tit peu.

Jonas intervient:

— Ces éclairs-là sont vraiment bizarres.

— Pourquoi?

— Ils sont moins brillants que ceux de tout à l'heure.

— Aucune importance! L'orage est plus loin, c'est tout.

— Pas sûr, Joseph. En plus, on n'entend même pas le tonnerre.

— Hé, l'expert! Ça arrive souvent. Papa les appelle des éclairs de chaleur.

— Pourquoi? répète Jojo sans se fatiguer.

— AAAAHHHH! Toi et tes questions!

Joris ne réplique pas. Tant que ses frères parlent, il est rassuré. Le petit dernier aime mieux exaspérer ses aînés que d'écouter le silence dans une maison inconnue.

— Regardez! lance Jonas.

— Mais quoi? On ne voit rien ici!

Un peu de lumière entre alors par la fenêtre, ce qui permet à Joseph et à Jojo de voir le cadet pointer le bras dans cette direction.

— Trouvez-vous ça normal, vous autres? demande Jonas. Ce n'est pas un peu trop long pour un éclair. Hein, les gars? Qui est-ce qui avait raison?

La petite fenêtre du grenier est blafarde. On dirait qu'il y a de la lumière à l'extérieur. Pourtant, la maison de Léo est située dans le bois, loin de toute autre habitation.

Inquiet, Jojo ramène la couverture sur sa tête. D'une voix étouffée, il dit:

— Peut-être... peut-être que papa est sorti...

— On aurait entendu la porte d'entrée, murmure Joseph. Peut-être un bateau sur le lac... Qu'est-ce que tu en penses, Jonas?

— Sur le lac, en bas? Ça m'étonnerait! La lumière n'arriverait pas jusqu'ici.

Soudain, un coup de vent pousse la fenêtre, qui s'entrouvre. Mammouth redresse aussitôt la tête. Sa grosse truffe noire renifle l'air de la pièce.

— Mammouth a senti quelque chose! s'écrie Jonas.

— Aaaah! J'ai peur!

Jojo se colle contre Joseph.

— Hé! ton cœur bat vite!

— Moins vite que le tien si je te laisse tout seul, patate! riposte l'aîné.

Les oreilles droites, le chien descend de sa couchette. Il se dirige d'un pas lourd vers la fenêtre. D'un coup de pied rapide,

Joseph et Jonas repoussent leurs couvertures.

— Faut aller voir! décident-ils en sautant en bas du lit.

— **Attendez-moi!** dit Joris en s'accrochant au pyjama de Joseph.

Les doigts emmêlés dans la fourrure de Mammouth, les trois Jojo marchent lentement vers la source du courant d'air. Joseph fait un signe de tête à Jonas. Son cadet comprend : il étire le bras pour ouvrir grand la fenêtre.

L'air frais les frappe au visage. Une odeur d'épinette et de terre mouillée leur chatouille les narines. Les trois frères se collent le nez contre la moustiquaire. Un peu de lumière éclaire le terrain près de la maison. Mais vers l'arrière, la lumière est beaucoup plus vive. De la fenêtre du grenier, Joseph, Jonas et Joris peuvent voir un mur de la grange. Un grand mur tout blanc. Un coup de vent fait bruisser les feuilles. Et une ombre gagne le mur. Mammouth grogne. L'ombre s'agrandit, prend forme, se déploie pour occuper toute la place. Saisis, les garçons se figent sur place. Devant leurs yeux écarquillés, une bête monstrueuse ouvre sa gueule. Deux rangées de dents sombres et pointues se découpent sur le mur blanc.

— **IL NOUS A SUIVIS !** crie le petit.

Les trois Jojo ne font ni une ni deux. Ils courent se réfugier dans le lit de Joseph. Mammouth saute les rejoindre. Blottis sous la couverture, ils se pincent pour s'assurer qu'ils ne rêvent pas. Aïe! **Ayoye!** La surprise est totale, la découverte, in-croyable!

— Un di... no... **SAURE!** bredouillent les frères d'une même voix.

— Meufff croyez-fous ffflà? dit Jojo, la tête enfouie dans le cou de Mammouth.

— C'est ce MONSTRE... que tu as vu chez Tétreault?

— Fffoui! Euh... non. Ils sont pareils, mais... celui-là est beaucoup plus **GROS**.

Quelques claquements de dents se font entendre. Il est difficile de garder son calme devant une aussi surprenante nouvelle.

Ému, Jonas prend une grande respiration avant de déclarer :

— Mes frères, l'heure est grave. Nos informations confirment qu'il y a plus d'un dinosaure sur la Terre.

— C'est une invasion !

— Il va y en avoir partout, c'est ça ? s'inquiète Jojo.

— J'ai bien peur que oui, souffle Jonas.

— Mais la lumière, qu'est-ce que c'est ? s'écrie l'aîné. D'où elle vient ?

Les deux plus jeunes restent muets. Jojo se retient de dire que le dinosaure avait peut-être une lampe de poche. Il ne veut surtout pas qu'on rie de lui.

Joseph pousse un cri. AH ! Ses frères sursautent.

— Quoi, quoi, Joseph ? En as-tu vu un troisième ?

— J'ai trouvé, Jonas ! La lumière, ce sont les extraterrestres ! Ils ont toujours de gros phares sur leur vaisseau spatial.

— Pourquoi ? demande une petite voix.

— Pour nous voir, voyons donc! Tout le monde en parle sur Internet.

— Pourquoi?

— Parce que… parce que…, hésite l'aîné. En tout cas, il n'y a que les extraterrestres pour ramener les tyrannosaures sur Terre. Tout le monde sait ça!

C'en est trop pour le bambin de quatre ans. Il pousse un hurlement :

— Papaaaaaa!

Sa voix aiguë fait vibrer les murs de la vieille maison. À l'étage du dessous, on marmonne :

— Jojo, rendors-toi! Il n'y a pas de chauves-souris dans le grenier.

— Des… des chauves-souris? Où… **POURQUOI?**

— DODO, Jojo! Il n'y a pas de danger. Mammouth est avec toi. Bonne n...

— Attends! Attends! crie le petit. Il y a des dinosaures partout, des tyra.... des tyri... des trinosaures, bon! Et des extraterrestres! Ils nous cherchent avec leurs grosses lumières. Monsieur Internet l'a dit.

— Joseph! Jonas! Cessez de faire peur à votre... **Aïe!** Mon dos!

Les deux plus vieux lèvent les bras en l'air, découragés. Pourquoi faut-il que ce soit toujours de leur faute? Dans un bâillement, papa conclut:

— Ti-Jo, je ne monterai pas. Papa est fatigué. Réveille-moi seulement si tu vois le père Noël. J'ai un cadeau à lui demander... Des vacances!!!

L'horloge coucou sonne douze coups. Les garçons tendent l'oreille. En bas, aucun bruit. Il n'y a plus de doute, ni papa ni maman ne vont grimper au grenier.

Devant ce manque de collaboration, les frères Lachance ramassent couvertures et oreillers. Dehors, la lumière s'est éteinte. Ils se glissent sous les lits. Mammouth, à demi réveillé, les rejoint en rampant. À l'abri dans leur cachette, les trois Jojo s'interrogent. Une fois encore, ils ont la preuve qu'ils ne doivent compter que sur eux-mêmes. Heureusement, leur pacte les lie. Le serment prononcé plus tôt dans la journée est la force qui les unit. Ils vont découvrir ce qui se passe sur la Terre! Car papa et maman n'ont aucun sens des réalités, et encore moins des urgences. À la lueur des boussoles lumineuses, les jeunes aventuriers discutent. Ils s'enflamment, s'obstinent, se contredisent, puis échafaudent des plans. Les heures passent, les garçons perdent peu à peu de leur fougue. Réchauffés par Mammouth, ils s'endorment, convaincus de leur mission : le sort du monde entier repose entre leurs mains.

CHAPITRE 4

Toute la maisonnée se lève tard dans la matinée. Ignorant que leurs fils ont parlé jusqu'à l'aube, papa et maman s'enthousiasment. Ils pensent sincèrement que les enfants ont compris qu'ils ont besoin de vacances. Ils croient que cette longue nuit de sommeil est un cadeau de leurs rejetons. C'est donc avec un grand sourire que papa accueille les garçons qui descendent l'escalier à petits pas. Mammouth court vers maman, qui est assise à la table de la cuisine.

— Doucement, le gros chien! dit Hortensia, le visage crispé. **Aïe!** Mon dos fait encore **MAL**.

— Quelle joie de se réveiller dans les bois! déclare papa. La nuit, on se croirait dans un autre monde. À l'abri de toutes les surprises!

Joseph, qui s'assoit pour déjeuner, regarde ses frères. Les deux plus jeunes hochent la tête : papa et maman ne sont vraiment au courant de rien. Pour Joseph, tout devient clair. L'aîné de la famille se rend compte qu'il est impossible de laisser ses parents dans l'ignorance. À eux cinq, plus Mammouth, ils formeraient une super équipe pour sauver la planète des envahisseurs. L'aîné préfère tout de même laisser

Jonas répliquer. C'est lui qui doit annoncer l'extraordinaire nouvelle. Comme son cadet est le spécialiste de la nature, Joseph est sûr que son témoignage aura encore plus de poids. Il saura trouver les mots justes. Mais Jonas, qui rêve depuis toujours d'être un célèbre explorateur, s'emballe. Il oublie que ses parents sont plus lents à convaincre qu'un enfant à l'esprit ouvert. Surexcité par la découverte, il s'écrie:

— On a vu un TYRAN-NOOOOSAURE! Un **VRAI**, papa! Les extraterrestres l'ont transporté à bord de leur vaisseau! C'est Joseph qui l'a dit. Maman, tu aurais dû voir ça! Une grosse GUEULE pleine de **DENTS**! Tout en pattes,

jusqu'au **TOIT** de la grange!
C'est une **grande nouvelle**!

Dans un **YAHOUOUOU**,
Jonas lance son casque colonial
dans les airs. Jojo applaudit,
frétillant d'excitation, tandis que
Joseph plonge le nez dans son
assiette. L'aîné se rend bien
compte que, pour un chef, il a
manqué de stratégie. Le passionné Jonas n'était peut-être
pas le meilleur choix… D'autant
plus que son casque a vite fait
de retomber sur le bol de confi-
tures, qui explose en mille gout-
telettes sucrées. Mammouth
bondit. **Wouaf! Wouaf!** Il
court autour de la table à toute
vitesse. **Wouaf! Wouaf!** Il
essaie d'avaler toute cette
confiture à la fraise avant que
papa, qui le poursuit, la nettoie
avec son torchon. Bousculée,

maman pousse un te**RRRR-RI**ble **AAAOUTCH !** La course s'arrête net à l'instant où elle sacrifie sa belle rôtie dorée à la bête gourmande.

Les garçons se retrouvent sur le perron avec leurs tartines et l'interdiction d'entrer, même pour un pipi. «Le bois est là, ce n'est pas pour rien», a dit papa. Mammouth tourne autour d'eux dans l'espoir de compléter son déjeuner. Affamés, les trois frères ne lui en laissent pas la chance. Le gros chien descend les marches pour aller sentir l'herbe humide de pluie.

— J'ai encore passé pour le méchant dans l'histoire, marmonne Joseph, le menton dans les mains.

Assis côte à côte dans les marches, les garçons regardent le lac qui scintille sous un soleil timide.

— Pourquoi?

— Parce que maman a dit que je vous bourrais le crâne avec des histoires qui n'ont pas de bon sens. Mais je n'ai rien inventé, moi!

Dépité, Joseph se lève, suivi de ses frères. Il vient de repérer, un peu plus bas, une vieille chaloupe posée à l'envers sur des blocs de bois. On dirait une petite cabane, une cabane de la mer. C'est un bel endroit pour s'isoler, juste à l'orée du bois. Les garçons se faufilent sous ce drôle d'abri. Le sol est sec, mais frais. Jonas sort une boussole lumineuse. Il allume la grosse bille transparente en pressant un bouton. La lueur verte lui permet de voir qu'une longue pierre grise affleure sous l'embarcation. Un peu de mousse trace des dessins amusants sur la roche. Machinalement, Jonas gratte. Jojo l'imite aussitôt. La chaloupe sent le bois mouillé et la queue de poisson. Joseph se met à rêver. Il se voit, debout à l'avant de la barque, voguant sur des flots agités, en route vers une île inconnue. Sa casquette de capitaine vissée sur la tête, il dirige sa troupe de matelots d'une main de maître. Son frère cadet vient interrompre ses rêves d'aventure.

— Ça fait une belle cachette… chette… chette...

La voix forte de Jonas résonne sous la coque de bois. Jojo rigole. **Hi! Hi! Ha! Ha!**

— Oui, c'est notre fort ici. Papa et maman vont pouvoir être tranquilles, murmure Joseph avec une pointe d'amertume.

— On est CACHÉS, **CACHÉS**… chés… chés… chés…

Wouahaha! Jojo rit de plus belle. C'est amusant de répéter pour tester l'écho.

— Si on regarde comme il faut, précise Jonas, on voit quand même nos FESSES… sses… sses… sses!

Au mot «fesses», Jojo craque. Ses yeux se plissent. Des larmes jaillissent! **Wouaaaaaaa-haha!** Jojo rit tellement fort! Il se laisse tomber sur la pierre grise, se roulant par terre dans son gilet de sauvetage. Une vraie petite baleine jaune orange! Ses frères éclatent de rire! **WOUAAAHAHAHAHA!** Leurs voix se répercutent, s'entrechoquent, s'enflent sous la chaloupe. **WOUF! WOUF!** leur répond Mammouth de l'autre côté de la coque de bois. Joseph se penche et tend son bras pour le caresser. Mais le gros chien ne reste pas en place. **WOUF!** Il pique des courses jusqu'en haut de la colline, enfouit son nez dans le sol, puis redescend vers Joseph. **WOUF! WOUF!** Il multiplie les allers-retours.

— Sortez vite, les gars! Mammouth a reniflé quelque chose!

Les trois Jojo grimpent à toute allure la colline. Ils courent derrière Mammouth qui file vers l'arrière de la maison. **WOUF! WOUF!** Langue pendante, le chien s'arrête. Les garçons scrutent les alentours. Rien de spécial entre la maison et la grange, sauf un sac à ordures tout neuf.

Jonas est bien déçu.

— Papa a sorti les déchets… Ce chien-là est le pire des dépisteurs.

— Ce n'est qu'un gros gourmand, déplore Joseph en donnant un coup de pied dans le sac.

Jojo, qui furète toujours partout, s'exclame :

— Hé! Venez voir!

Accroupi près d'une flaque de boue, le petit dernier examine le sol.

— Ah! Laisse-nous tranquilles avec tes vers de terre!

Joris ne les écoute pas.

— Brrrizarre… brrrizarre…, fait-il plutôt d'un ton d'enquêteur.

Joseph s'approche d'un pas ferme. Il remonte l'allée de gravier qui conduit à la grange.

— D'abord, on dit *bizarre*, Ti-Jo. Et tes vers de…

Le regard fixé sur la flaque de boue, l'aîné reste bouche bée. On dirait une otarie qui a avalé un poisson de travers.

Intrigué, Jonas franchit les quelques pas qui le séparent de ses frères. Mammouth bat de la queue à ses côtés. Alors qu'il les rejoint, le cadet est frappé de stupeur. Il voit la flaque de boue. Ses yeux s'agrandissent. Jonas tombe à genoux. Il balbutie :

— Des… des… em… des empreintes… de…

— De dinosaure ! souffle Joseph.

— Fan-las-tique ! murmure Jojo.

Ses deux aînés sont tellement abasourdis par la découverte qu'ils ne pensent même pas à le corriger. La flaque de boue, aussi grande qu'une table de ping-pong, est traversée par trois empreintes de pattes. Jonas avance sa main gauche juste au-dessus de l'une d'entre elles. L'empreinte a trois orteils griffus et paraît tellement immense!

— La marque du tyranno-saure...

— Il faut aller chercher papa! lance Joseph. Là, il va nous croire. ON SE BOUGE!

Les trois Jojo décampent à toute allure. Ils contournent la maison, bondissent sur le perron et se collent le nez dans la porte-moustiquaire que papa vient de réparer.

À l'intérieur, la réaction est instantanée.

— **Aïe! Ouille!** crie maman. Vous m'avez fait faire un saut!

— Les garçons! Qu'est-ce que j'avais dit? demande papa. On ne rentre pas!

— Mais on est dehors!

Devant l'évidence, papa ne trouve rien à répondre.

— **Papounet**, c'est suuuper important!

Jojo a pris les devants. La bouche collée contre la moustiquaire, il raconte:

— Le p'tit rannosaure a joué dans la boue. Son papa n'est sûrement pas content. Mais nous on est très contents. Parce que, toi, tu peux voir ses pattes, pas ses vraies pattes, mais ce qu'il a en dessous de ses **gros** pieds. Pas des pieds comme mes pieds. Non! Des **gros pieds** avec **trois** orteils! Et Joseph dit qu'avec ça tu vas nous croire, là.

Fier de son discours, Joris passe ses pouces dans les courroies de son gilet de sauvetage.

— Tu viens voir, s'il te plaît?

Joseph et Jonas n'osent pas bouger. S'il fallait rompre le charme… Car leurs parents hésitent. Maman dit «si ça peut leur faire plaisir…», et papa répond «oui, mais toi, chérie…», pour revenir à maman, qui le rassure par un : «Je peux me débrouiller quelques instants sans toi.»

Papa hésite encore. Puis il se lève d'un bond, pour déclarer d'un ton joyeux :

— Alors, où est-elle, cette bête à grosses pattes?

Joseph et Jonas sont renversés. Joris a encore réussi à persuader papa et maman. C'est un don, c'est certain!

À grandes enjambées, papa accompagne ses fils vers la grange. Les deux plus vieux anticipent sa surprise quand il découvrira les empreintes du tyrannosaure dans la boue. Pleins d'entrain, ils courent devant lui, tandis que Jojo a glissé sa main dans celle de son père. Il trottine et sautille jusqu'à l'arrière de la maison.

— **WOUA! WOUFFF!** fait Mammouth pour les accueillir.

Joseph stoppe net, Jonas lui fonce dans le dos. Une vision d'horreur leur fait pousser un cri déchirant.

— **NNNNOOOOON!**

Mammouth est couché sur le dos, au beau milieu de la flaque de boue. Il a traîné le sac à ordures près de la grange. Les déchets sont éparpillés tout autour de lui.

— **SORS DE LÀÀÀÀÀ!** hurlent les frères d'une même voix.

Trop content, le mastodonte n'en fait qu'à sa tête. **WOU! WOU! WOUAFF!** Il se roule dans la boue, attrapant un bout de sandwich par-ci, croquant une croûte de pizza par-là. **WOUOUOUOUF!**

— Qu'est-ce que c'est que cette pagaille? gronde papa, le visage sévère.

— **Vite!** crie Joseph en agrippant son père par le bras. Viens nous aider!

— Mammouth va effacer les empreintes! se désole Jonas. Ça presse!

— Oh! non! murmure Jojo, tout triste. Pas les pieds du p'tit rannosaure.

Malheureusement, papa ne bouge pas. Les garçons se précipitent. Retenu par une main ferme, Joris lance des **Moi aussi! Moi aussi!** Il tire sur le bras de papa de toutes ses forces. Ses frères crient. **Va-t'en, Mammouth! Va-ttttt'en!** Emportés par leur élan, Joseph et Jonas dérapent dans la boue, frappent Mammouth. **WOUF!** Le chien se redresse sur ses pattes. Les garçons essaient de l'attraper. **VIENS ICI ! WOUFFF ! Moi aussi ! WOUFFF ! Moi aussiiiiiiiiiiiiiiiiiiiiiiiiii !** Papa Jonathan se prend la tête à deux mains en suppliant sa bonne fée de transformer ses trois Jojo en mignons agnelets doux et dociles. Libre, le petit Jojo en profite. Il s'élance vers la grange. **HOURRAAAA!** Ses frères ont inventé un nouveau jeu avec Mammouth ! Ils le poussent, glissent, tombent dans la boue, le poussent encore. **YOUPIIII !** Jojo atterrit, prêt à tout. **WOU ! WOU ! WOU ! WOUAFF !** Entouré d'enfants, Mammouth s'amuse beaucoup.

— **Assez, les garçons !**

L'ordre lancé par papa a un effet instantané. Les frères

Lachance s'immobilisent, pendant que Mammouth file vers le lac.

— Je suis TRRRRÈS déçu, déclare papa d'un ton grave. Déçu et contrarié, parce que vous n'êtes même pas capables de nous laisser, maman et moi, nous détendre un peu. Vous inventez toutes sortes de prétextes pour venir nous déranger.

Les trois Jojo baissent la tête. Couverts de boue des orteils jusqu'au bout du nez, ils ont triste mine. Jonas, encore plus désolé que son père, trouve la force de protester :

— Des empreintes, il y en avait ! Je te le jure !

Joseph relève la tête.

— C'est la faute de Mammouth ! Il s'est roulé dans la boue et a tout effacé.

— C'était drôôôôle, affirme Joris, qui nettoie ses oreilles avec ses petits doigts.

Ses deux frères lui jettent un regard désapprobateur.

— Tais-toi, grosse nouille! souffle Joseph.

— **MééééééCHANT!** pleurniche Jojo en courant vers la grange.

— Je ne veux plus rien EN-TEN-DRE! tranche papa. D'abord, vous allez ramasser les **DÉCHETS**. Après, vous irez vous **laver** dans le **LAC**. Quand j'étais petit, on jouait **dehors** et on ne dérangeait les adultes **POUR AUCUNE RAISON**. À moins que l'un de vous trois se blesse… Ce sont **NOS** vacances! Déjà que votre mère est souffr…

Un **BAM!** retentissant fait sursauter tout le monde. La porte de la grange s'est ouverte toute grande. Dans le carré sombre se découpe une silhouette. Les enfants n'en croient pas leurs yeux. Les poings sur les hanches, monsieur Tétreault s'avance. Le voisin du village s'écrie, rouge de colère :

— J'essaie de dormir, **MOI!** Mais c'est carrément im-pos-si-ble! Monsieur Lachance, êtes-vous capables, oui ou non, de contrôler ces trois garnements? J'ai de sérieux doutes là-dessus! Si j'avais su que toute la bande était ici, je n'aurais jamais accepté l'invitation de Léo Laforêt. Venez dans ma grange, qu'il m'a dit, vous y serez tranquille, qu'il a ajouté. J'ai les oreilles qui bourdonnent à force de vous

entendre crier et piailler comme des poules! Je ne vous salue pas, j'ai mieux à faire. C'est pire qu'au zoo ici!

Sous le regard hébété de la famille Lachance, monsieur Tétreault tourne les talons, puis referme la porte de la grange, qu'il verrouille à double tour.

CHAPITRE 5

Après l'apparition fracassante de monsieur Tétreault, le grand nettoyage est reporté à plus tard. Les trois Jojo sont loin de s'en plaindre. Papa est trop pressé d'aller tout raconter à maman. Au pied des marches du perron, les garçons entendent des voix s'exclamer:

— De quel droit vient-il gâcher nos vacances, ce monsieur «T'en-fais-trop»?

— Calme-toi, chérie... Tu vas encore te blesser.

— Et nous traiter de poules, en plus! Quel culot, ce... ce «T'es-de-trop»!

— Ne t'énerve pas, Hortensia. Si tu bouges trop, tu v...

— **AÏE! Mon dos!**

Sous leurs coquilles de boue séchée, les frères Lachance soupirent. Ils détestent quand maman a mal, surtout quand c'est la faute du voisin détestable.

Papa sort en coup de vent.

— À l'eau, les garçons! Le premier arrivé au lac est ma baleine du jour!

Jonas et Joseph ne se pressent pas. Généreux, ils laissent le petit Joris gagner. À lui, la baleine du jour! Le ciel est couvert, mais il fait doux. Sous le regard vigilant de papa, les garçons se nettoient dans le lac. C'est amusant de se laver tout habillés! Il n'y a que papa Jonathan pour inventer des idées pareilles. Jojo barbote dans son gilet de sauvetage. Jonas plonge à la recherche d'une nouvelle race de grenouille à huit pattes. Bras et

jambes en étoile, Joseph s'exerce à faire la planche. Habileté très utile pour un capitaine qui a perdu son bateau.

La baignade terminée, les frères Lachance s'enroulent dans leurs serviettes et retrouvent casques et casquette. Joseph fait signe aux deux autres de le suivre dans leur cachette. Les conspirateurs se glissent sous la chaloupe renversée.

D'un air malheureux, Joseph admet :

— Nous n'avons pas été assez prudents. Il ne fallait pas laisser Mammouth seul près de la grange.

— Pourquoi ?

— Il n'y a plus rien à montrer à papa et à maman, répond Jonas, déçu.

Le jeune explorateur gratte un peu de mousse sur la pierre avant d'ajouter :

— Sans les empreintes du tyrannosaure, ils vont être difficiles à convaincre.

Jojo hausse les épaules.

— Pas grave ! On va aller chercher le petit rannosaure. Je l'aime, moi ! Je suis sûr qu'il va vouloir marcher encore dans la boue.

— Pas rapport, Ti-Jo ! Si on va le chercher, c'est qu'on l'a trouvé. Il n'a pas besoin de marcher.

— Pourquoi ? Tu aimes mieux qu'il vole ? Pas sûr que le p'tit rannosaure peut... Dans la grange, il n'avait pas d'ailes.

— C'est un **ty-ran**-no-saure, idiot! s'emporte Jonas.

— Idiot toi-même! Celui qui le dit, celui qui l'est!

— **CHUT!** Tais-toi, Jonas! Jojo, tu viens de mentionner quelque chose de TRÈS important.

— Lalalalalère ! fait Joris, après avoir tiré la langue à Jonas.

— Ne recommencez pas !

Joseph regarde le dernier de la famille droit dans les yeux.

— Concentre-toi ! Répète ce que tu viens de dire.

Jojo cherche.

— Il n'avait pas d'ailes ?

— Non, avant ça ?

— Le p'tit rannosaure ?

— Non, juste après !

— Aaaah ! C'est compliqué !

— Aide-le un peu, Joseph ! s'impatiente Jonas.

— D'accord ! Jojo, tu as dit… le dinosaure n'avait pas d'ailes dans… dans…?

Jojo se mord la lèvre.

— Euh… dans… la grange?

— **BINGO!**

— **Youpi!** Qu'est-ce que je gagne?

— Rien du tout!

— C'est pas juste…

— Mais tu gagnes ma reconnaissance ÉTERNELLE! s'exclame son grand frère en le serrant par les épaules.

Joris lâche un **Beurk!** en repoussant l'étreinte. Il n'a pas l'habitude que son grand frère lui fasse des câlins.

— Jojo, tu es for-mi-da-ble!

Satisfait, le benjamin sourit de toutes ses dents à son aîné.

— Tu as vu quelque chose dans la grange, non? demande Joseph, de plus en plus fébrile. Quelque chose que Jonas et moi n'avons pas vu, parce que nous étions trop loin, alors que toi tu étais proche de la porte quand monsieur Tétreault est sorti.

Le garçonnet fait oui de la tête.

— Pourquoi tu ne l'as pas dit avant? s'écrie Jonas.

— Ben… vous ne me l'avez pas demandé!

— Là, on veut savoir! Raconte! le pressent ses grands frères.

Joris aime par-dessus tout ces moments où il se retrouve au centre de l'attention. Avec de grands gestes, il explique:

— J'ai vu un DI-NO-SAU-RE! Au fond de la grange! TRÈS GROS! **TRÈS GRAND!**

— Le tyrannosaure d'hier soir! C'est lui!

— Euh… non, il était plus petit.

— Un autre tyrannosaure! ENCORE!

Jonas et Joseph n'en croient pas leurs oreilles.

— Mais qu'est-ce qu'il faisait dans la grange? marmonne Joseph en se grattant sous sa casquette. Est-ce qu'il dormait?

— J'sais pas. J'ai vu son dos… **énooorme**! Et sa queue… **looooongue**!

Nerveux, Jonas tapote son casque colonial. Une idée est sur le point de germer. Il affirme:

— Ce que le dinosaure faisait dans la grange n'est pas important. Ce qu'il faut savoir, les gars, c'est pourquoi monsieur Tétreault était là AUSSI!

La question est primordiale. Un silence s'installe. Un bruit de frottement contre la coque de bois les sort de leur réflexion. Une truffe noire couronnée de moustaches poussiéreuses se glisse sous la chaloupe.

— Mammouth! s'écrie le petit. Où étais-tu? Viens me voir!

Accueillants, les garçons se poussent pour laisser de la place au chien. L'animal est crotté. En plus des galettes de boue séchée, son poil est couvert de mottes de terre fraîche. Mammouth n'a pas peur de se salir, et les frères Lachance aiment ça! D'autres ne lui pardonneraient pas ses roulades dans la boue, mais les trois

Jojo font eux-mêmes tellement de gaffes qu'ils ont l'habitude de passer l'éponge. Une grosse éponge!

Tout en caressant les oreilles de Mammouth, Joseph réfléchit à la question de Jonas. Il essaie de se remémorer les derniers événements. Il tente de relier entre elles les images du voisin grognon, des tyrannosaures – tête, dents, queue et ombre comprises –, les lumières dans la nuit, la grange et...

Soudain, l'aîné a une illumination. D'un ton ferme, il déclare :

— Le voisin n'était pas là pour rien dans la grange! Il a une mission.

— **Ooooooohhhh !**

— Vous n'allez peut-être pas me croire, mais je suis sûr d'une chose…

Jonas et Joris retiennent leur souffle.

— Monsieur Tétreault est un EXTRATERRESTRE! lance Joseph, triomphant. Un extraterrestre débarqué d'un vaisseau!

— On te croit! répondent ses frères, emballés par l'idée. Qu'est-ce qu'on fait?

Joseph ne s'attendait pas à cette réaction unanime. À vrai dire, il n'avait pas d'autre idée que celle-là.

Jojo, qui a beaucoup de connaissances grâce aux émissions de télé éducatives, émet une objection:

— Si le voisin est un essss… straterrestre, il n'a pas l'air d'un monstre.

— Non, mais il **PUE!** tranche Jonas. Il pue très fort! C'est un signe!

— Jonas a raison. Il pue, parce qu'il n'est pas comme nous. Parce qu'il est vraiment un ex-tra-ter-res-tre! Un extraterrestre, ça sent bizarre.

— Pourquoi?

— Parce que… parce que sa planète pue aussi! Sur Mars, ça sent le fromage bleu! Tout le monde sait ça, assure Joseph.

— Du fromage **BLEU**? Beurk! grimace Jojo en faisant mine de vomir.

Les trois Jojo éclatent de rire. **Wouaaaahhhhh!** Les tensions tombent, l'heure de prendre une décision approche. Serrant entre ses mains une boussole lumineuse, Jonas propose:

— Mettez vos mains sur ma boussole. Elle va nous aider à décider quoi faire.

— T'es bête, Jonas! Ta boussole, ce n'est pas une boule de cristal! se moque Joseph. De toute façon, tu veux devenir explorateur, pas diseuse de bonne aventure! Fie-toi à ton instinct, c'est bien mieux!

Jonas ne peut qu'approuver. Joseph ajoute:

— Hier, on a prêté serment au village. Et qu'est-ce qu'on a décidé?

— Qu'on allait passer à la télé! s'exclame Jojo, réjoui.

— COCO!

— Coco toi-même! Celui qui le dit, celui qui...

— **HÉ !** interrompt Jonas. On a aussi dit que nous allions découvrir ce que le voisin nous cache. Pour le découvrir, il faut aller à la grange, les gars!

De petites lumières s'allument dans les yeux des frères Lachance. Des picotements dans les pieds leur donnent envie de se lever. De la chaleur dans les bras les pousse à sortir de sous la chaloupe. Et des éclairs dans leurs cerveaux les font partir à la course vers l'arrière de la maison.

— Galope, Mammouth! crie Jojo en s'agrippant à la queue du chien, qui trotte déjà.

Les garçons passent en coup de vent devant leurs parents, qui ont sorti les chaises longues. Leurs serviettes de plage

volent au vent et viennent atter-
rir aux pieds des vacanciers.
Papa et maman ne lèvent même
pas un sourcil, tellement ils sont
contents de voir leurs enfants
jouer dehors sans rien demander.
Tant que leurs enfants s'amusent,
ils sont les plus heureux parents
du monde.

CHAPITRE 6

La grange est silencieuse. À pas de félin, les trois Jojo en font le tour. Mammouth les suit, nonchalant. Les garçons cherchent une ouverture, une planche mal clouée, un trou pour regarder. Mais le bâtiment est en bon état et les fenêtres ont été bouchées par des cartons.

Tout à coup, Mammouth s'immobilise, le museau frémissant.

— Il est sur une piste..., murmure Joseph.

Le chien prend les devants. Jonas le suit de près, sa boussole lumineuse à la main. Joseph et Joris ferment la marche en jetant des coups d'œil aux alentours. S'il fallait qu'un tyrannosaure apparaisse... Ou pire, que monsieur Tétreault l'extraterrestre les kidnappe avec son vaisseau. Mieux vaut être prudent.

Mammouth conduit le commando jusqu'au côté ouest de la grange, à la limite de la forêt. Il se couche dans la terre remplie d'aiguilles de pin, puis il enfouit sa tête sous un mur de la grange.

— Regardez! chuchote Jonas. Il a déjà commencé à creuser un trou.

Le cadet se penche, éclaire le trou avec sa boussole.

—On y est presque. Au travail!

Les frères Lachance se jettent à genoux sur le sol. À pleines mains, ils creusent sous le mur de la grange. Encouragé, Mammouth fracasse des records de vitesse grâce à ses pattes robustes. Il expédie la terre noire des mètres plus loin. Le trou s'agrandit.

Le passage est fin prêt, mais les passeurs le sont un peu moins. Personne n'a envie d'être le premier à se confronter aux monstres. Jojo enlève une par une les poussières sur son pantalon, tandis que Jonas teste l'intensité lumineuse de sa boussole. Joseph jette un

regard derrière lui. Il aperçoit la silhouette de ses parents, qui se la coulent douce sur leurs chaises longues. Joseph soupire : être l'aîné n'a pas que des avantages. Un chef de troupe est souvent obligé de donner l'exemple.

— D'accord, j'entre le premier! fait-il, exaspéré. Du courage, j'en ai à revendre, moi! Si nous voulons que papa et maman nous croient, nous ne pouvons plus reculer. La preuve du retour des dinosaures sur Terre est dans cette grange!

Joseph se couche à plat ventre. Avant de se glisser sous le mur, il a tout de même une hésitation.

— Et si on allait chercher papa et maman... Ils sont grands et forts, eux.

— Oublie ça! dit Jonas, tout bas. Ils ne veulent pas être dérangés.

— Pour aucune **RÉÉÉÉÉ... ZON!**

— Chut, Jojo! Pas si fort!

Joseph inspire un bon coup, puis se faufile sous le mur. Ses deux frères attendent un signal de sa part pour le suivre. Rien ne bouge de l'autre côté du mur.

Jonas s'accroupit pour chuchoter:

— Joseph? Ça va?

Aucune réponse.

— Qu'est-ce qu'on fait ? demande Jojo, nerveux.

Jonas hausse les épaules, attrape le bras de son frère et, ensemble, ils s'introduisent en silence dans la grange. Dans le bâtiment, il fait sombre. Les garçons ont à peine le temps de se relever qu'une main ferme les agrippe par le collet. **AAAAAAHHHHHHH !**

— Et de trois ! lance une voix rauque.

— **AAAAAHHHHH !** hurlent de plus belle les Jojo réunis.

— Chenapans ! jette monsieur Tétreault. Je vous prends sur le fait. Vos parents vont m'entendre ! Dehors, garnements ! Vous n'avez pas aff...

WOUF! WOUF! WOUOUFFFF! Mammouth bondit de sous le mur de la grange. **WOUF!** Monsieur Tétreault lâche tout.

— J'ai enlevé mes mains! Ils sont libres. Tu vois?

WOU!

— Tout doux… le grooooooooooooooOOS!

Monsieur Tétreault décampe. Mammouth charge comme un bulldozer. Personne n'a le droit de toucher à ses trois Jojo.

Bouleversés, les frères Lachance entendent des bruits de poursuite. Des boîtes tombent, des pots dégringolent. **OUSTE! WOUF! LAISSE-MOI!** Ça craque, ça grince, ça fait un bruit d'enfer! Et puis, tout à coup, on entend des serrures tourner. La porte de la grange s'ouvre toute grande. La clarté du jour pénètre dans le bâtiment.

— **Tu ne m'auras paaaaaas!** crie monsieur Tétreault en sortant jambes à son cou.

Mammouth ne le lâche pas d'une semelle. Il galope vers le lac, aux trousses du vilain voisin.

— **OUF!** soupirent les garçons.

Joseph explique à ses frères que monsieur Tétreault l'attendait assis sur une chaise avec sa lampe de poche, juste devant le passage secret.

— C'est comme s'il avait tout deviné! s'étonne l'aîné. J'ai tellement fait un saut que je ne savais plus quoi dire. Et vous êtes arrivés!

— Moi, j'aime Mammouth! dit Jojo d'une voix tremblante. Il n'a pas peur des essss… stra-terrestres, lui.

Survolté, Jonas s'exclame:

— Dépêchons-nous! Pendant que l'affreux n'est pas là, trouvons les dinosaures!

Le jeune explorateur pivote sur ses pieds. Il appuie deux fois sur le bouton de sa boussole. Le faisceau lumineux double d'intensité. Grâce à sa brillante lumière verte, Jonas éclaire les zones sombres de la grange. Il regarde vers la droite, vers la gauche. Joseph et Joris retiennent leur souffle. Jonas balaie de bas… jusqu'en haut. Soudain, des paupières s'ouvrent, deux grands yeux jaunes apparaissent! La tête bouge!

Une toile glisse sur le sol. Dans la lueur verte tremblotante, un tyrannosaure regarde les enfants.

Les trois Jojo sont stupéfaits. Ému, Jonas attrape Joseph par l'épaule. Le tyrannosaure lève une patte d'en avant, pleine de griffes.

— **Attention!** crie Joseph. Il va nous attaquer!

Effrayés, les garçons reculent. Le tyrannosaure recule vers le mur aussi vite.

— On lui a fait peur, dit Jojo, toujours prêt à faire confiance.

Les trois frères se rapprochent lentement. Le dinosaure avance vers eux de son pas lourd. Joris triomphe:

— Je vous l'avais dit! C'est un gentil p'tit rannosaure.

Impressionnés par la taille de la bête, les garçons n'osent tout de même pas aller jusqu'à le toucher.

— Mais où est l'autre tyrannosaure? demande Joseph. Celui d'hier soir. Il était beaucoup plus gros.

— Peut-être qu'il est couché dans un coin..., suggère Jonas.

Il s'étire le cou pour voir plus loin. Le dinosaure bouge, se redresse.

— N'aie pas peur, mon gros dino, le rassure Jojo. Regarde!

Le petit ramasse un objet par terre.

— J'ai trouvé ton os! Miammm! **LE BEAU GROS OS!**

Essoufflé, Mammouth surgit sans prévenir.

— HÉ! Montre-moi ça!

Jonas se penche vers son frère. Le tyrannosaure se penche vers les enfants. Mammouth gronde.

— Touche pas, Jonas! **C'est L'OS DE MON DINO!**

Jojo lève le bras en l'air, brandissant son os. Mammouth salive. Joseph s'en mêle. Il essaie d'attraper l'os. Jojo gigote, tourne sur lui-même, mais l'os lui glisse des mains. Mammouth l'attrape au vol. Il mord à pleines dents dans l'objet tant convoité. On entend un **CRAC!** Le tyrannosaure rugit. **RoooaaaRRRR!** Gueule serrée, Mammouth s'enfuit avec son trophée. Le tyrannosaure bouge, il avance vers les garçons.

— Attends ! Attends ! crie Jojo. Je vais te le rapporter !

Mais le dinosaure ne ralentit pas. Il marche de son pas pesant en direction de la porte de la grange. Les garçons s'affolent. Ils courent vers la sortie. Jonas échappe sa boussole, Joseph, sa casquette, et Jojo s'échappe dans son pantalon. De sa tête monstrueuse, le dinosaure casse les planches au-dessus de la porte. À vrai dire, il fracasse tout sans s'arrêter.

Les frères Lachance décampent. Ils filent en ligne droite vers leurs parents. À grands cris, ils déboulent la colline.

Debout, à côté de leurs chaises longues, papa et maman sont en vive discussion avec monsieur Tétreault. Mammouth les dépasse. Il descend vers le lac à la fine épouvante.

— **PAPAAAAAAAA !**
MAMAN !

Les adultes se retournent d'un bloc. Les enfants se jettent dans les bras de leurs parents. Le tyrannosaure apparaît. Les visages s'allongent d'un coup.

Le dinosaure accélère dans la pente. Il va **TRÈS VITE !** Alors, monsieur Tétreault surprend tout le monde. Comme un héros, il se lance devant le tyrannosaure pour l'arrêter. Mais la bête gigantesque le bouscule. Le voisin roule sur le côté.

— **Mammouth !** crie Joseph. Sauve-toi ! Tu vas te faire dévorer !

Resserrant sa prise, le chien se jette dans le lac. La tête haute et l'os en sécurité, Mammouth nage vers le large. Le tyrannosaure entre à son tour dans le lac, ses pattes frappant les vaguelettes.

— **NOOOOOONNNNN !** gémit monsieur Tétreault.

Au contact de l'eau, le terrible tyrannosaure est agité de soubresauts. Un éclair fulgurant traverse son corps. **BIZZZZZZZ!** Une décharge électrique le secoue. **BOZZZZZZZZZZ!... BING! BANG!** Boum!

Dans un nuage de fumée, le tyrannosaure baisse la tête. Il ne bouge plus.

Sain et sauf, Mammouth sort de l'eau. Il trottine jusqu'à monsieur Tétreault, aux pieds duquel il crache son os.

— Ma télécommande, soupire le voisin, en larmes. Ma précieuse télécommande en forme d'os de dinosaure...

Sans rancune, le chien se secoue avec vigueur juste devant lui.

Papa et maman sont sous le choc. Ils fixent le tyrannosaure tout déglingué d'un air hébété. Joseph, Jonas et Joris s'interrogent du regard. Viennent-ils de faire la plus grosse bêtise de tous les temps? D'un signe de tête, ils se concertent: il serait peut-être préférable de s'éclipser avant que les adultes ne se remettent de leurs émotions. À reculons, les garçons s'éloignent des chaises longues pour remonter vers la chaloupe. Ils ne sont plus qu'à quelques pas de disparaître dans leur cachette secrète. Mais un ordre claque sur le bord du lac.

— **STOP!** gueule monsieur Tétreault. Vous ne m'échapperez pas!

Le voisin s'élance vers la chaloupe. Les trois Jojo se dispersent.

— Je vais vous attraper, mes p'tits sacripants de malheur !

Les garçons courent dans tous les sens.

— Vous avez démoli mon robot ! Mon beau dinosaure interactif ! **ANÉANTI !**

Joseph part vers la gauche. Jonas le croise, Jojo bondit comme un cabri. Monsieur Tétreault commence à s'essouffler.

— Je vais… en avoir… pour… pour des mois à le réparer ! Tout est DÉ-RÉ-GLÉÉÉÉÉÉééé !

Les garçons tournent autour de la chaloupe, dans l'espoir d'étourdir leur poursuivant. Le voisin essaie de les suivre, mais il s'arrête, à bout de souffle. Il s'appuie contre la barque, plié en deux.

Dans un dernier effort, monsieur Tétreault lance :

— VOUS, LES LACHANCE, ÊTES LES PIRES ENFANTS DU MONDE ENTIER !

Ce cri injuste a l'effet d'une gifle. Papa se ressaisit d'un seul coup. Son instinct de protecteur remonte comme une vague !

— Monsieur Tétreault ! Attendez un peu qu'on se parle tous les deux ! **D'HOMME À HOMME !**

À grandes enjambées, papa se dirige vers le voisin. Surpris, et plutôt peureux, monsieur Tétreault recule contre la chaloupe. Elle bouge ! Les blocs qui la soutiennent tombent et l'embarcation se renverse sur le côté. **BOUM! POWF!** Heureusement, les frères se déplacent juste à temps. Le regard mauvais, papa toise celui qui a failli blesser ses enfants. Monsieur Tétreault le fixe de son air le plus dédaigneux. Joseph se demande s'ils vont en venir aux poings. Mais quelqu'un d'autre a suivi la scène. Hortensia, elle, n'est pas du genre à se laisser impressionner.

— ON SE CALME! crie maman.

Tous se retournent. De peine et de misère, maman a gravi la colline. Les mains appuyées sur le bas de son dos, elle déclare:

— D'abord, les enfants vous doivent des excuses, monsieur Tétreault!

Papa lève un sourcil, étonné par ces paroles.

— Oui, des excuses! insiste maman. Nos fils sont entrés dans la grange sans votre permission. Nous ignorons ce que vous y faisiez, mais...

— Des expériences, Madame! Des tests avec mon tyrannosaure IN-TER-AC-TIF! Un prototype unique! Souple, versatile, tout-terrain! Guidé par le mouvement, comme dans les jeux vidéo, ou activé par cette télécommande sans fil!

Le voisin brandit l'objet en forme d'os. Des pièces pendouillent. La télécommande a été broyée par les mâchoires d'ours de Mammouth. Maman ne se laisse pas émouvoir. Le chien de Léo Laforêt lui a aussi causé quelques ennuis. Malgré la douleur dans son dos, Hortensia poursuit avec fermeté :

— Nous ignorons aussi pourquoi vous avez décidé de venir ici en même temps que nous, pendant NOS vacances, sauf que...

— J'avais besoin de plus d'espace pour le faire bouger à l'abri des regards ! Si j'avais su…, grommelle monsieur Tétreault, mécontent.

— Si vous aviez su, on ne serait pas venus ! rétorque papa, toujours froissé.

— Alors, puisque nous en sommes là, nos fils vont au moins vous demander pardon pour la pagaille qu'ils ont créée. Les garçons? Vous savez ce qu'il vous reste à faire!

Joseph et Jonas auraient tellement de questions à poser sur le dinosaure interactif, mais les yeux sévères de maman les en empêchent. Ils s'approchent, la tête basse. À contrecœur, ils marmonnent:

— Nous sommes désolés d'avoir brisé votre nouveau joujou.

— Un **JOUET?** Plutôt une merveille de la technologie!

Maman, qui veille à tout, interpelle Jojo:

— Joris! Viens présenter tes excuses, toi aussi!

Le petit dernier de la famille n'a pas suivi ses aînés. Il est penché au-dessus de la longue et large pierre grise, qui était cachée sous la chaloupe. La mousse verte dessine des arabesques sur la roche. Jojo est tout émerveillé.

— Regardez ! Ça fait de beaux dessins !

— Vous deux, allez chercher votre frère ! s'exclame papa. Vous étiez trois pour les bêtises, c'est à trois que vous demanderez pardon !

Jonas et Joseph soufflent fort. Quel ennui ! Ils sont toujours de corvée ! L'air ahuri de Joris les intrigue malgré tout. Avant d'agripper leur frère par son gilet de sauvetage, les plus vieux jettent un coup d'œil au rocher. Le soleil en profite pour percer les nuages. Dans la lumière orangée de la fin d'après-midi, les trois Jojo ont une vision. Ces courbes dans la mousse, ces lignes qui se rejoignent, cette structure qui s'organise à la surface de la pierre, ces empreintes bien réelles, figées dans le rocher...

Papa et maman pressent leurs enfants de venir, mais les frères Lachance les entendent comme dans un brouillard.

La découverte est percutante.

— Hé, les gars! dit Joseph, secoué. Voyez-vous ce que je vois? On dirait un... un...

Jonas gratte la mousse avec son ongle.

— Un **FOSSILE** de **DINOSAURE!**

— Moi, je dis que c'est la p'tite sœur du p'tit rannosaure!

— Ah! non, ÇA SUFFIT! rouspète papa. On en a fini avec ces hist...

— Poussez-vous! lance monsieur Tétreault. Laissez-moi voir ça!

Tout scientifique, aussi insupportable soit-il, ne laisse jamais une nouvelle piste de côté. Et même si cette piste est suggérée par trois garnements turbulents, c'est un devoir d'aller vérifier. Monsieur Tétreault bouscule papa et maman pour se précipiter vers le rocher. Il se jette à genoux à côté des trois Jojo, sortant ses lunettes de sa poche et sa loupe de sa veste. Les garçons sont tellement surpris qu'on s'intéresse à ce qu'ils racontent qu'ils gardent un silence recueilli pendant l'examen de la pierre grise. De grosses gouttes de sueur coulent sur le front de monsieur Tétreault, il devient blanc comme un linge. Par précaution, les frères Lachance s'éloignent d'un pas. Ils ne sont toujours pas convaincus que le voisin n'est pas un extraterrestre, car il a vraiment d'étranges réactions. D'ailleurs, l'homme se relève. De grosses larmes coulent sur ses joues. Sans prévenir, il enlace de ses bras puissants les trois Jojo.

— Mes chers petits…, dit-il, ému.

De la bouche du grincheux Tétreault sort alors une phrase inimaginable :

— Madame et Monsieur Lachance, vos fils sont d'extraordinaires surdoués ! Ils viennent de faire avancer la science d'un bond de géant. Pour m'en assurer, je dois prendre contact avec Urgence Dino, mais je crois bien que les garçons ont découvert un fossile inestimable ! Sous cette mousse se cache une merveille ! Un dinosaure jusqu'alors inconnu ! Un dinosaure dont l'empreinte s'est conservée dans cette pierre depuis des millions

d'années! C'est **FA-BU-LEUX!!!** Excusez-moi, je dois faire un appel, conclut-il en partant au pas de course.

Le voisin est transformé. Ravi, il chante presque! Les trois Jojo se secouent. L'odeur de fromage bleu leur colle à la peau. Renversés par la nouvelle, papa et maman s'approchent avec respect de la grande pierre, si précieuse. De son petit auriculaire, Joris leur montre les pattes, la tête, les ailes de leur découverte. Jonas leur explique que c'est lui, le premier, qui a eu l'instinct de croire que quelque chose d'exceptionnel se cachait sous la mousse. La preuve! Ici et là, il a déjà gratté pour mettre au jour la découverte du siècle. Fier, Joseph se gonfle le torse en expliquant qu'au fond, tout ce qui se passe, on lui doit, puisque c'est lui qui a décidé de transformer la vieille chaloupe en lieu secret.

Tandis que les enfants parlent tous à la fois, papa et maman posent leurs mains sur la pierre grise, bien conscients qu'ils participent à un événement fabuleux. Un rare fossile de dinosaure... Jonathan et Hortensia jettent un regard affectueux à leurs fils. Quelle belle famille, ils ont!

Gagné par l'allégresse, Mammouth vient quémander une récompense. Sans sa participation, on peut croire que l'après-midi se serait mal terminé. Bon prince, papa sort des bretzels de la poche de son bermuda. Le chien les croque en une seule bouchée.

De la grange, une voix joyeuse les interpelle :

— **YOUHOU !!! LES LACHANCE !** Urgence Dino arrive ! Une équipe de télé les accompagne ! Nous allons devenir célèbres, mes amis !

Les trois Jojo poussent des cris d'enthousiasme. Monsieur Tétreault jubile. Il n'en revient pas comme c'est facile d'être de bonne humeur. Il déclare :

— Les garçons, vous êtes adorables ! Je baptiserai ce nouveau dinosaure en votre honneur. Nous l'appellerons… le JOJOSAURE ! Dépêchons-nous, que tout le monde se prépare pour accueillir la télé !

— Les caméras! fait maman en se prenant le visage à deux mains. Il faut que je me maquille!

À la surprise de tous, maman file vers la maison. Disparu, le mal de dos!

Papa prête main-forte à monsieur Tétreault. Les deux hommes descendent la remorque

près du lac. Elle a servi la veille au soir pour transporter le prototype de tyrannosaure du village jusqu'à la grange. Monsieur Tétreault en profite pour expliquer aux enfants que les ombres nous jouent souvent des tours et nous font croire à toutes sortes de monstres. Mais un esprit scientifique doit toujours vérifier avant de tirer des conclusions. Jonas écoute avec attention, pose des questions. Un futur explorateur a beaucoup à apprendre des conseils d'un savant.

Avec une corde solide, les adultes, et même les garçons, tirent sur le pauvre tyranno-saure pour le sortir de l'eau. Joseph s'amuse beaucoup à ce jeu de souque à la corde. C'est un exercice fameux pour tout jeune capitaine qui veut s'habituer à remonter l'ancre de son bateau.

Dès que le prototype est à sa place dans la remorque, Jojo grimpe entre ses pattes. Cassé ou pas, le tyrannosaure a besoin de compagnie. Et le jeune Joris est l'ami de tous les animaux.

Grâce à la puissante camion-nette du voisin, le chargement retourne doucement vers la grange. Papa et ses deux grands fils suivent derrière en cortège. Une petite voix ose même demander si on pourra jouer avec le dinosaure interactif lorsqu'il sera réparé. Monsieur Tétreault répond par un rire jovial. Pour les frères Lachance, il ne fait aucun doute que cela veut dire oui.

Du haut de la colline, les trois Jojo aperçoivent au loin de la poussière se lever sur le chemin. Youpi! C'est la télé qui arrive! Vite, ils courent se poster tout autour de la grande pierre aux fossiles. Dans le soleil couchant, leurs mines réjouies vont crever l'écran. Ils seront les vedettes du jour, peut-être même du mois! Nerveux, les trois Jojo ont une dernière hésitation: une ultime question leur trotte en tête. Doivent-ils révéler à la caméra que leur savant voisin est un extraterrestre?

FIN

As-tu lu les autres livres de Lucie Bergeron?

Série Les Trois Jojo

Les Trois Jojo 1 – Top Secret

Joseph a un plan. C'est un secret! Il ne doit pas révéler le but qu'il poursuit, mais il lui faut l'aide de ses jeunes frères pour parvenir à ses fins.

Les Trois Jojo 2 – Super Équipe

Les trois frères sont survoltés et rien ne peut les freiner, pas même la canicule ou les changements de cap d'un gros chien gourmand!

**Tu aimes le chien Mammouth?
Découvre toutes ses aventures
dans la série Abel et Léo!**

Abel et Léo 1 – Bout de comète!
Abel et Léo 2 – Léo Coup-de-vent!
Abel et Léo 3 – Sur la piste de l'étoile

Abel et Léo 4 – Un Tigron en mission
Abel et Léo 5 – Le Trésor de la cité des sables
Abel et Léo 6 – Le Monstre de la forteresse

Série Solo

Solo 1 – Solo chez madame Broussaille
Solo 2 – Solo chez monsieur Copeau
Solo 3 – Solo chez madame Deux-Temps